Pour ce cher Laurent C.

Christian Voltz

Une forêt blanche et noire

Seuil jeunesse

– Alors, c'est d'accord ? demande le chat.
– D'accord ! répondent en chœur Madeleine et M. José.
– Mais...

– ... mais, tu es sûr que ça ne le dérangera pas ? s'inquiète le lièvre.

– Sûr et certain ! répond le chat. Et vous verrez, M. Kaspar
est une personne charmante ! Il adore recevoir des invités.
Il est toujours prêt à partager une tasse de thé...
En plus, ses pâtisseries sont épatantes !

– Alors, d'accord ! dit le lièvre.

– Parfait ! s'exclame le chat. Allons-y !

Et tous les quatre se mettent en route vers la cabane de M. Kaspar.

Ils marchent un long moment,
en bavardant joyeusement,
avant de s'engager sur un petit sentier,
dans une forêt un peu étrange.
Une forêt toute blanche et noire.
Une forêt de bouleaux.

– Je n'avais jamais vu cette cabane, s'étonne Madeleine.

– Je n'avais jamais pris ce sentier, ajoute le lièvre.

– Je n'avais jamais pénétré dans cette forêt, murmure M. José.

– M. Kaspar va être vraiment ravi de nous voir ! s'exclame le chat.

Il frappe trois petits coups à la porte en bois...

Aussitôt, M. Kaspar ouvre.
– Comme c'est gentil de me rendre visite !
Je ne vois pas grand monde par ici ! Entrez ! Entrez donc !
Je vais vite préparer du thé ! dit-il en disparaissant.

Le lièvre se racle la gorge puis chuchote :
– Finalement, je n'ai plus très envie de thé...
– Moi non plus ! renchérit Madeleine.
– Tout à fait d'accord ! ajoute M. José.
Et ils détalent sans demander leur reste !

– Attendez ! Attendez ! lance le chat.
Mais ils sont déjà loin...

Quand M. Kaspar revient, une théière fumante à la main,
il n'y a plus que le chat.
– Ils ne sont pas entrés ? demande-t-il tout doucement.
Le chat se contente de faire non de la tête.
Il se doutait bien que ça allait se passer ainsi.

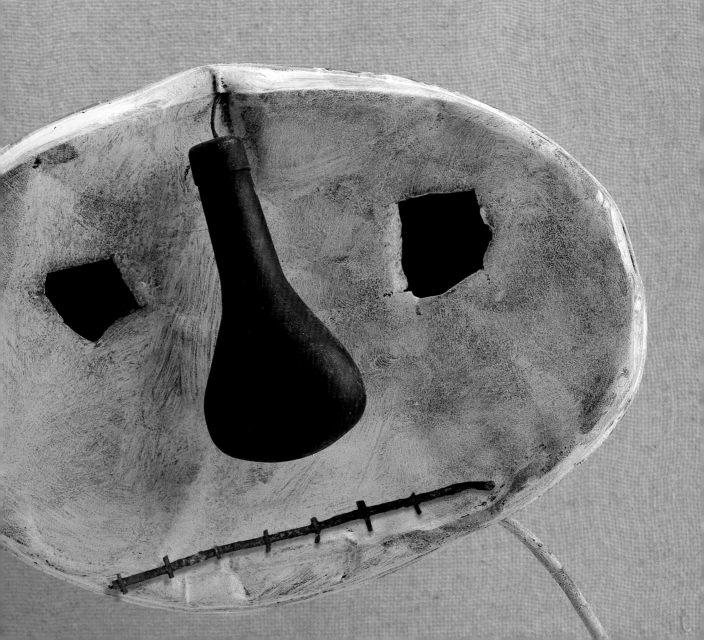

– Rien à faire, je les effraye tous... sauf vous, mon vieil ami, chuchote M. Kaspar.

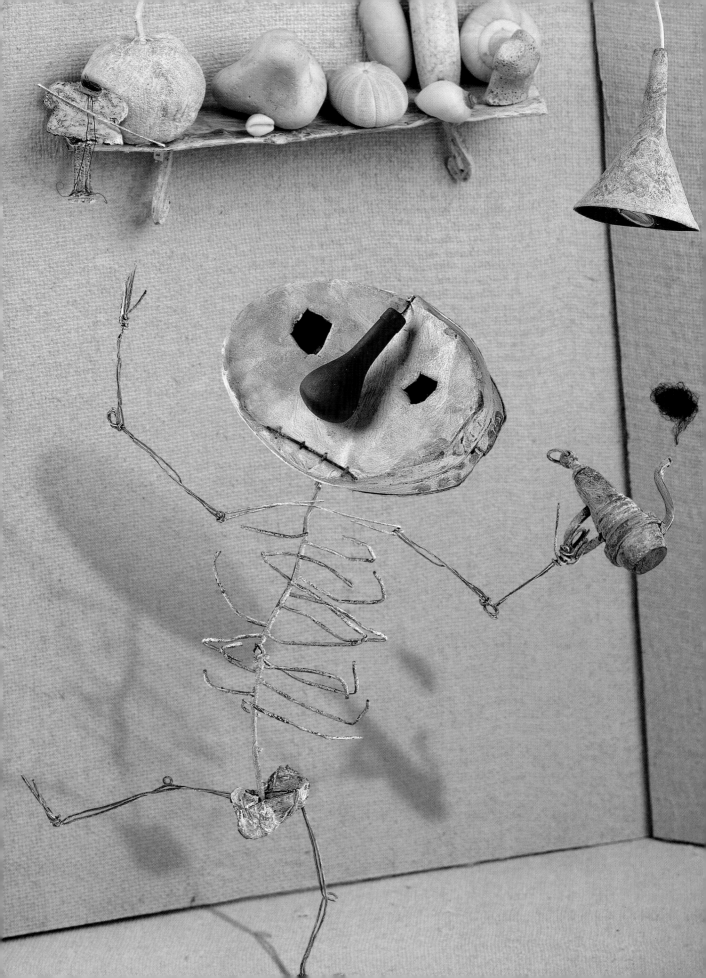

– Avant, M. Chat, il y avait toujours du monde chez moi !
Et maintenant, pfff ! ils se sauvent tous en me voyant !
Autrefois, M. Chat, j'étais un grand pâtissier !
On venait de loin pour mes gâteaux ! Et maintenant...
Je n'ai plus de bonnes dents pour les croquer...
Dans le temps, M. Chat, j'étais le meilleur danseur du comté...
Ah ! j'en ai fait valser, des filles !

M. Kaspar esquisse trois pas de danse.
Mais ses os craquent. Et il s'arrête, la mort dans l'âme.

– Excusez-moi, dit-il, je vais prendre un peu l'air...

« Je n'ai vraiment pas ma place ici », se dit M. Kaspar.

Une larme coule lentement le long de sa joue blanche.

Soudain, il entend une petite mélodie venant de derrière la cabane.
C'est le chat qui joue du violon.
Un air très ancien qu'aiment beaucoup les oiseaux.

M. Kaspar ferme les yeux pour mieux écouter.

Soudain, il sent comme deux petites pattes
sur le sommet de son crâne chauve.

Un oiseau, attiré par la musique,
s'est perché tout là-haut.
Il inspecte attentivement les lieux.

M. Kaspar n'ose plus faire un geste.

D'un petit coup d'aile, il vient se poser dans M. Kaspar.
Et voilà l'oiseau qui s'installe dans un recoin,
entre la deuxième et la troisième côte.
Un autre oiseau le rejoint, une brindille dans le bec.
« Qu'ils sont beaux... », pense M. Kaspar.
C'est un couple de bergeronnettes.
Noires et blanches.
Les deux oiseaux s'activent.
Paille, plumes, mousse...
ils bâtissent un petit nid dans M. Kaspar.

Juste à la place de son cœur.

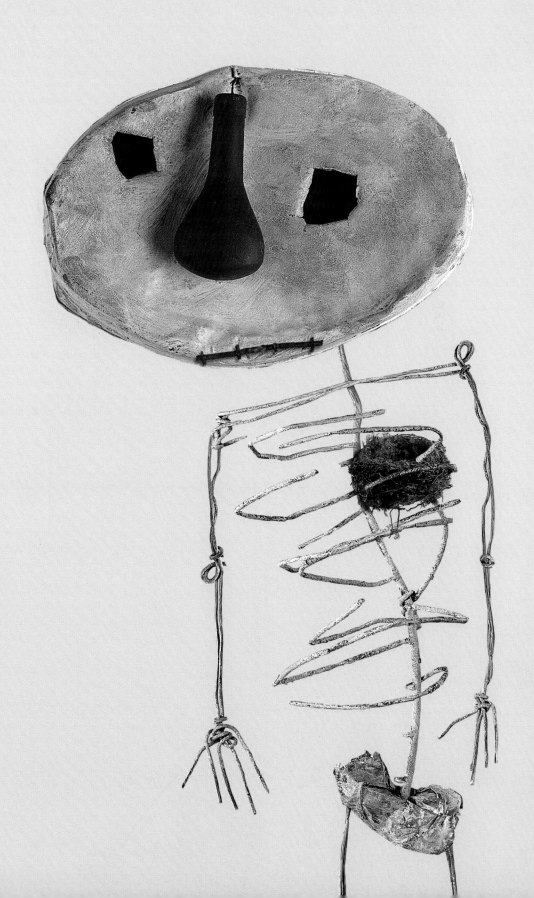

Le soir tombe.
Le nid est terminé
et les oiseaux s'endorment paisiblement...
M. Kaspar sent leur douce chaleur.

Une dernière fois, il regarde le soleil qui disparaît,
puis il sourit à son ami.

Et lui aussi, ferme les yeux.

Dans la nuit,
M. Kaspar sent de minuscules radicelles
pousser sous les os de ses pieds.
Elles s'enfoncent dans la terre
et se transforment en racines.

Alors, il lève ses bras décharnés vers le ciel.
Ses os craquent, ses articulations se durcissent.
Ses doigts se transforment lentement en rameaux,
puis en véritables branches.

Toute la nuit, son vieil ami le chat
l'accompagne au son de son violon.
Des notes blanches et noires, joyeuses et mélancoliques,
flottent encore dans l'air au petit matin.

Et le chat sait qu'enfin M. Kaspar est heureux.

À l'aube, les deux oiseaux se réveillent...
et les voici dans le creux d'un bouleau.
Un arbre, bien ancré dans la terre,
aux branches tendues vers le ciel.

– Occupez-vous bien de vos oiseaux, M. Kaspar,
chuchote le chat.

Il raccroche le violon, referme la cabane déserte.
Puis se tourne vers les autres bouleaux.
Depuis longtemps, il connaît le nom de chacun d'entre eux.
De la tête, il les salue en s'éloignant sur le petit sentier.

Là-haut, deux oiseaux se mettent à chanter.
Deux bergeronnettes noires et blanches.

Et grises.

Photographies de Jean-Louis Hess

Un merci très chaleureux à Manu Viau, Martine Laffon
Maryvonne Corrigou et Anne-Cécile Ferron
pour leur aide précieuse !

Éditions du Seuil, 2006
Dépôt légal : septembre 2006
ISBN : 2-02-088220-5
N° 88220-1
Loi 49-956 du 16 juillet 1949
sur les publications destinées à la jeunesse
Imprimé en France
www.seuil.com

www.christianvoltz.com